MOJE SERCE SKACZE Z RADOŚCI

Moje serce skacze z radości

NAPISAŁA

Rose Lagercrantz

ZILUSTROWAŁA

Eva Eriksson

PRZEŁOŻYŁA
ZE SZWEDZKIEGO

Marta Dybula

ZAKAMARKI

Rozdział 1

Znów będzie o Duni. Tej, która jest taka szczęśliwa! Czasami jest też smutna, ale to się nie liczy.

Dunia nie znosi nieszczęść. Coś w niej wtedy pęka. Dlatego smutnym historiom wymyśla nowe zakończenia.

Lubi świnki morskie, prace ręczne, długo spać i bawić się z kolegami i koleżankami.

Jeśli jest się z kim bawić.

Kiedy rozpoczynała szkołę, nie znała w klasie nikogo, ale teraz już zna.

Zna Mattisa i Poduchę.

I Jonatana, który ma sto czterdzieści sześć zwierząt. To znaczy patyczaków. Jonatan twierdzi, że patyczaki są milusie.

Oczywiście Dunia zna też Wiki. Wszyscy ją znają.

Tę Wiki, która co chwilę biega myć zęby. Mama Wiki jest dentystką i codziennie daje jej do szkoły fluor do płukania zębów.

Wiki kochała się już chyba w każdym chłopcu w klasie. Nagle – bach! …i już jest zakochana.

Mika tak samo.

Tego dnia obydwie zakochały się w chłopcu, który miał przezwisko Poducha.

Akurat jednocześnie.

I jedna, i druga postanowiła zapytać Poduchę, czy będzie z nią chodzić. Były bardzo ciekawe, którą wybierze.

– Myślę, że mnie – powiedziała Mika i zadowolona popatrzyła na wielkie serce, które wycięła z papieru.

– Nie bądź taka pewna – odparowała Wiki i też zaczęła rysować serce.

Wiki i Mika zawsze po sobie papugują.

Rozdział 2

Jak tylko zaczęła się przerwa, podbiegły do Poduchy i zaczęły go szarpać za ramię.

– Chcesz być moim chłopakiem?! – zawołała Wiki.

– Nie, bo chcesz być moim, prawda?! – wykrzyknęła Mika.

Poducha uwolnił się od nich, nic nie odpowiadając. Nie miał czasu na takie głupoty. Właśnie szedł trenować strzelanie do bramki.

Jednak po chwili wrócił.

Ale nie do Wiki i Miki.

Przyszedł, żeby zapytać, czy…

…Dunia chce z nim chodzić. I żeby dać jej gumę do żucia, którą miał w kieszeni.

Potem znów musiał iść trenować strzelanie goli.

Za każdym razem, kiedy jego drużyna nie wygra meczu, tata strasznie na niego krzyczy. Czasem krzyczy nawet na trenera.

Dunia powąchała gumę do żucia.

Pachniała malinami.

Kiedy podniosła wzrok, Wiki i Miki już nie było. Pobiegły grać w klasy.

Dunia dogoniła je i zapytała, czy może z nimi pograć, ale Wiki nic nie odpowiedziała. Potraktowała Dunię jak powietrze. Tak się mówi, kiedy ktoś udaje, że kogoś nie widzi.

A Mika potraktowała Dunię jak zgniłe jajo.

Duni zrobiło się smutno, bo bardzo by chciała, żeby w szkole wszyscy byli dla niej mili.

– Jak chcecie, to dam wam moją gumę – powiedziała.

– Nie, dzięki – parsknęła Mika. – W szkole nie wolno żuć gumy.

– Nie wiedziałaś? – syknęła Wiki, pociągając Mikę w stronę drabinek.

Dunia patrzyła, jak odchodzą. A potem podeszła do kosza na śmieci i wyrzuciła gumę.

Rozdział 3

Po tej przerwie Dunia nie była już szczęśliwa. Tęskniła za swoją najlepszą przyjaciółką Fridą, która przeprowadziła się do Uppsali.

Dunia nie zgadzała się, żeby ktoś zajął miejsce Fridy. Ani Jonatan, ani Zuzia, ani nawet…

…Poducha nie mógł tam usiąść. Kiedy podszedł i zapytał, czy może, Dunia tylko pokręciła głową.

– A nie pomyślałeś, gdzie usiądzie Frida? – zapytała.

Poducha popatrzył na nią zdziwiony.

– No… kiedy wróci – wyjaśniła Dunia.

– Duniu – westchnęła pani, która usłyszała ich rozmowę – Frida nie wróci.

– Nigdy nic nie wiadomo – wymamrotała Dunia.

Dunia nigdy nie traci nadziei, nawet jeśli wszystko wydaje się beznadziejne.

Ale potrafi też cieszyć się tym, co jest.

W poniedziałki mają gimnastykę.

W środy ćwiczą ortografię.

Duni podoba się, że ten, kto dobrze napisze wszystkie słowa, dostaje złotą gwiazdkę.

A codziennie za piętnaście jedenasta jedzą obiad.

Rozdział 4

W stołówce Dunia i Frida też siedziały obok siebie. Codziennie. W rogu z tyłu sali.

To tam Dunia przemknęła się teraz ze swoim jedzeniem. Parówką z purée ziemniaczanym.

Chciała posiedzieć w spokoju i pomyśleć o czymś przyjemnym.

To przecież jej specjalność!

Najpierw pomyślała o wszystkich świnkach morskich, które zna.

O jednej, która wabi się Hultaj, i drugiej, która wabi się Smyk.

No i o swoich własnych świnkach morskich, Płatku i Śnieżynce.

Potem pomyślała o różnych miejscach, w których była.

Jak na przykład Rzym. Tam mieszka jej babcia od strony taty.

I Ropsten. Tam mieszkają dziadkowie, rodzice mamy.

I Uppsala. Tam teraz mieszka Frida.

Dunia uważa, że Uppsala to chyba najfajniejsze miejsce na świecie.

Jest tam park z mnóstwem różnych drzew. Są takie, na które łatwo się wspiąć, i takie, na które wspina się trochę trudniej. Kiedy Dunia była w odwiedzinach u Fridy, postanowiły wdrapać się na najtrudniejsze ze wszystkich drzew. Takie, które na samym dole nie miało ani jednej gałęzi.

Żeby wejść na to drzewo, musiały podstawić sobie krzesło.

Potem godzinami łaziły po gałęziach i udawały, że są małpami.

To było w ferie wielkanocne.

Tak dawno temu…

Rozmawiały ze sobą w języku małp, który składa się głównie z pisków i mlasków.

No i oczywiście jadły banany oraz ćwiczyły zwisanie na ogonie.

A ponieważ nie mają ogonów, musiały zwisać na rękach i nogach.

Potem na chwileczkę zeszły z drzewa.

Tylko żeby pobiec do domu po więcej bananów.

Kiedy wróciły, krzesła nie było.

Musiały przynieść nowe. Inaczej nie dostałyby się do swojej kryjówki.

Skończyły się bawić na małpim drzewie dopiero, kiedy zrobił się wieczór. Pobiegły wtedy do domu w podskokach, śpiewając na całe gardło. Oczywiście małpie piosenki w małpim języku.

Księżyc świecił, drzewo szumiało, a gdzieś niedaleko szczekał pies. I było tak cudownie, jak może być tylko w Uppsali.

Ale następnego dnia krzesło znowu zniknęło. Dziwne.

Mama Fridy zdenerwowała się i zabroniła im wynosić z domu następne krzesła.

Przyszywany tata Fridy był tego samego zdania.

Frida ma dwóch tatusiów. Jednego prawdziwego, o którym nigdy nie rozmawia, i jednego przyszywanego, który ma na imię Ulf.

Ale Frida mówi na niego Uffe.

Uffe powiedział, że miejsce krzeseł jest w kuchni, a nie w parku.

Wtedy skończyły zabawę w małpy i poszły pobawić się ze swoimi świnkami morskimi.

To równie fajne.

Rozdział 5

Kiedy Dunia siedziała sobie i rozmyślała w najlepsze o tym, jak cudownie było w Uppsali, podeszła do niej pani.

– Dlaczego nic nie jesz? – zapytała.

Zaskoczona Dunia spojrzała na swój talerz. Zupełnie zapomniała, że jest na stołówce.

– I dlaczego siedzisz sama? Chodź, usiądziesz z innymi.

Dunia wstała. Pani chwyciła jej krzesło i poszła w kierunku innych stolików. Dunia niechętnie powlokła się za nią. Gdzie niby miała usiąść?

O nie! Tylko nie między Wiki i Miką!

– Nic dobrego z tego nie wyniknie… – wymamrotała do siebie.

I miała rację.

Wiki i Mika głośno się buntowały, kiedy pani postawiła między nimi krzesło Duni.

– O nieee – jęknęła Wiki – zaraz zemdleję.

– Miałyśmy siedzieć obok siebie aż do śmierci – protestowała Mika.

Ale w końcu rozsunęły krzesła. Bały się nie posłuchać pani.

Dunia usiadła między nimi, wyciągnęła rękę po keczup i wycisnęła trochę na talerz.

Gdy tylko odstawiła butelkę, zaraz sięgnęła po nią Wiki.

– Zobacz – powiedziała. – Nie brzydzę się wziąć keczupu, chociaż trzymała go Dunia.

Tak jakby Dunia miała jakąś zaraźliwą chorobę!

– Ja też – powiedziała Mika i dotknęła butelki. – Fuuuj!

Dunia starała się nie zwracać na nie uwagi.

Rozdział 6

Potem stało się coś jeszcze gorszego.

Wiki mocno uszczypnęła Dunię w ramię!

Dunia wciąż nie reagowała.

Jej tata mówi, że to najlepszy sposób na czyjeś głupie zachowanie.

Ale po chwili Mika też ją uszczypnęła. Jeszcze mocniej!

To naprawdę bolało!

Wiki i Mika dalej ją szczypały, aż Dunia zawyła z bólu i zerwała się z krzesła.

Szybko rozejrzała się po stołówce, chwyciła butelkę z keczupem, wycelowała w Mikę i nacisnęła z całej siły.

– PRRRUT! – Keczup trysnął z butelki…

…i trafił Mikę prosto w czoło.

Dunia odwróciła się i wycelowała w Wiki.

– PRRRUUUT!

Ale tym razem nie trafiła i keczup poleciał prosto na panią.

Dunia wstrzymała oddech…

…i wypuściła z rąk butelkę.

Rzuciła się do ucieczki.

W drzwiach obejrzała się za siebie.

Co ona narobiła?

– Wracaj! – zawołała pani. – Duniu, stój!

Ale Dunia udawała, że nie słyszy i pobiegła dalej.

Wypadła ze stołówki, potem ze szkoły i pognała do domu.

Rozdział 7

Dom, w którym mieszka Dunia, stoi przy ulicy Chmielnej, zaraz przy górce saneczkowej.

Zimą zawsze jest tam cała gromada dzieci, które bawią się na śniegu.

Teraz była wiosna. Na górce rosła trawa i pełno małych jasnoniebieskich kwiatków, które nazywają się cebulice.

Ale dziś Duni nie obchodziły żadne kwiatki.

Nie widziała ich. Chciała jak najszybciej być w domu!

Drzwi były zamknięte na klucz. To znaczyło,
że tata jest w pracy.

Na szczęście Dunia przypomniała
sobie, że tata zwykle zostawiał
klucz pod doniczką
przy schodach.

Trzeba go tylko wziąć, otworzyć drzwi,
wpaść do środka i zrzucić z siebie buty!

Jeden but wylądował wysoko na półce.

Drugi poleciał w stronę stolika,
na którym stał wazon.

Wazon spadł na podłogę i się potłukł.
Dunia sama czuła się jak rozbity wazon.
Jakby coś w niej pękło.

Poszła do swojego pokoju, osunęła się na podłogę i zaczęła płakać.

Najpierw płakała przez wazon. Potem płakała, bo popryskała keczupem swoją miłą panią. Potem płakała, bo Wiki i Mika były takie okropne.

Ale najbardziej płakała, bo Frida dotąd nie wróciła.

Od tego płakania oczy zrobiły jej się czerwone jak u białego królika.

Świnki morskie obserwowały ją z niepokojem.

Zazwyczaj, kiedy Dunia wraca do domu, hasają po klatce i popiskują z radości, ale teraz siedziały zupełnie bez ruchu, ze złożonymi łapkami, i tylko patrzyły.

Świnki morskie to wrażliwe zwierzęta. Kiedy widzą, że ich mama jest smutna, też robią się smutne. A Dunia jest przecież dla nich jak mama.

Kochają ją niezależnie od tego, co robi i zgadzają się z nią we wszystkim.

Płatek uważał, że to dobrze, że Dunia popryskała koleżanki keczupem. Trzeba się przecież bronić!

A Śnieżynka zawsze lubi, kiedy na świecie coś się dzieje.

Nagle z przedpokoju dobiegły jakieś odgłosy.

Dunia szybko się podniosła i przyłożyła ucho do drzwi.

No tak! To tata!

W środy kończy wcześniej.

Rozdział 8

Dunia usłyszała skrzypienie szafy.

Tata wyciągał swoje ubrania do joggingu.

Każdej środy wybiera się do lasu pobiegać.

Nagle zrobiło się cicho.

A potem Dunia usłyszała kroki…

Szybko przekręciła klucz w zamku.

W ostatniej chwili!

Tata szarpnął za klamkę.

– Duniu... Co jest? Dlaczego nie jesteś w szkole?

Dunia zacisnęła zęby.

– Coś się stało? – tata pytał dalej.

Nadal cisza.

– Chodzi o wazon? Szkoda, że się potłukł, ale to się zdarza. Jak myślisz, co jest ważniejsze: moja córeczka czy stary wazon? Proszę cię, otwórz.

Ale Dunia już nie słuchała swojego taty. Nie była już taka, jak kiedyś. Nigdy w życiu nie powie tacie, co stało się w szkole.

Ale wcale nie musiała mówić, bo właśnie zadzwonił telefon. Tata odszedł od drzwi, żeby odebrać.

Po chwili wrócił.

– Wychodź, ale już! – rozkazał ze złością. – Musimy iść do szkoły i przeprosić wszystkich, których oblałaś keczupem!

Dunia zawyła i rzuciła się na podłogę.

– Zaraz umrę! – poskarżyła się świnkom. – I będzie miał za swoje!

Świnki morskie były tego samego zdania i dzwoniły zębami, co oznaczało, że są zdenerwowane.

Po chwili tata się poddał i odszedł od drzwi.

Rozdział 9

Dunia chciała zacząć myśleć o czymś przyjemnym. Tak jak zawsze, kiedy jej smutno. Ale nie było to łatwe.

Myśli krążyły po głowie jak niespokojne ptaki, które nie wiedzą, gdzie wylądować. Dopiero gdy pomyślała o Uppsali, poczuła się trochę lepiej.

W trudnych chwilach zawsze można pomyśleć o Uppsali. Jedyna niemiła rzecz, która może się zdarzyć w Uppsali, to to, że trzeba wracać do domu.

Tak właśnie było w ferie wielkanocne, gdy odwiedziła Fridę.

Kiedy bawiły się w najlepsze, tata Duni przyjechał ją odebrać.

Akurat zoperowały wszystkie lalki i pluszaki Fridy i ułożyły je w łóżeczkach, gdy w drzwiach pojawił się tata.

Trzeba się było żegnać i wracać na ulicę Chmielną w Sztokholmie.

– Ale może najpierw napijemy się kawy – zaproponowała mama Fridy.

– Z przyjemnością – odparł tata Duni i poszedł za nią do kuchni.

Wtedy Frida wpadła na pomysł.

– Uciekniemy! – wyszeptała.

Jak powiedziała, tak zrobiły. Frida szybko pozbierała to, co dobrze ze sobą mieć, kiedy się ucieka: koc, parówki, dwie poduszki, dwie szczoteczki do zębów, latarkę i kilka innych drobiazgów.

A Dunia pobiegła po książkę, opakowanie plastrów, nożyczki, kilka jabłek i dwa pluszaki, które już zdążyły wyzdrowieć.

Rzuciły wszystko na prześcieradło i zawiązały je w supeł. Powstał z tego spory tobołek.

– Musimy zabrać krzesło – powiedziała Frida.
Miała plan, że uciekną na małpie drzewo.
Tam raczej nikt ich nie znajdzie.

Po cichu wymknęły się z domu.
Bezszelestnie, jak złodzieje nocą.
Nikt niczego nie zauważył.

Ale gdy tylko usadowiły
się w kryjówce na drzewie,
zrozumiały, że nie mają tego,
co najważniejsze: parasola!

Bo właśnie zaczęło lać jak
z cebra. Przemokły do suchej
nitki. Ich biedne pluszowe
zwierzątka też.

W końcu musiały biegiem wrócić do domu, żeby te biedaki znów się nie rozchorowały.

I tak się skończyła ucieczka.

Deszcz smagał je po twarzach. Smagał trawę, drzewa i całą Uppsalę.

Mokre prześcieradło zostawiły na drzewie. Resztę rzeczy poupychały między dwa konary.

O krześle, jak zwykle, zapomniały.

Tym razem mama Fridy nie powiedziała nawet słowa na temat krzesła. Zła była tylko o to, że wyszły z domu w taki deszcz.

A tata Duni powiedział, że muszą się pożegnać.

Potem trzeba było wsiąść do auta i zapiąć pasy.

Dunia nigdy nie zapomni, jak siedziała na tylnym siedzeniu i gapiła się w szybę, po której krople deszczu spływały równie szybko, jak łzy po jej policzkach.

Ale właśnie kiedy mieli odjeżdżać, przybiegła Frida, kompletnie przemoczona.

– Poczekaj! – krzyknęła. – Zapomniałam o prezencie pożegnalnym!

I wręczyła Duni pamiętnik, taką małą książeczkę, do której koleżanki i koledzy mogą wpisywać ładne wierszyki.

Ale na razie wszystkie strony, poza pierwszą, były puste.

Na pierwszej stronie, najładniejszym pismem Fridy, było napisane:

Na górze róże,
Na dole fiołki,
A my się kochamy
Jak dwa aniołki!

NIGDY nie zapomnij
swojej najlepszej przyjaciółki
Fridy!

Rozdział 10

Dunia była szczęśliwa za każdym razem, kiedy czytała ten wierszyk.

Zwłaszcza zakończenie:

NIGDY nie zapomnij
swojej najlepszej przyjaciółki
Fridy!

Przecież to jasne,
że Dunia nigdy
jej nie zapomni!

Oczywiście zapomina o tym i o tamtym, na przykład o kurtce i czapce, kiedy wraca ze szkoły do domu. To zdarza się bardzo często.

Podobnie jest z plecakiem.

Zapomina też o worku ze strojem na wuef.

I o zeszycie z zadaniem domowym.

I o drugim śniadaniu, kiedy idą na wycieczkę.

Tak, Dunia czasami jest zapominalska. Zdążyła już nawet zapomnieć, o co obraziła się na tatę.

No właśnie! Gdzie jest tata? Czemu nie wrócił i czemu przestał walić w drzwi?

Dunia podniosła się z podłogi, otworzyła drzwi i wystawiła nos do przedpokoju.

Och! Ale smakowity zapach!

Zapach zaprowadził ją do kuchni, gdzie czekał na nią tata i wysuwał już dla niej krzesło.

– *Amore!* – powiedział. – Może ma pani ochotę na kilka świeżo usmażonych naleśników?

– Oczywiście – odpowiedziała Dunia i usiadła do stołu. Pałaszowała naleśnik za naleśnikiem, aż myślała, że pęknie.

Potem oparła się o krzesło i zamknęła oczy. Musiała odpocząć.

Ale tata miał inne plany.

– Chodź! – powiedział. – Czekają na nas.

– Kto? – zapytała Dunia.

– Pani i dziewczynki.

Dunia nie wierzyła własnym uszom! Znowu z tym zaczynał!

– Duniu! – powiedział tata ostro. – Chyba rozumiesz, że nie można oblać kogoś keczupem i go nie przeprosić! U nas w rodzinie tak się nie robi!

Mógł sobie gadać, ile tylko chciał! Dunia nie miała zamiaru nigdzie iść!

Ale tata się nie poddawał.

– Możesz mi coś powiedzieć? – poprosił i wbił w nią wzrok. – Dlaczego to zrobiłaś? Wiesz, o czym mówię…

Dunia podwinęła rękawy.

Tata zamarł.

– Co ty tu masz? – zapytał.

– Ślady po szczypaniu – wymamrotała.

– Szczypaniu?! – wykrzyknął tata. – Szczypiecie się w klasie?

Dunia pokręciła głową.

– Tylko Wiki i Mika…

Więcej nie zdążyła powiedzieć, bo tata zerwał się z krzesła i wybiegł do przedpokoju. Bez słowa chwycił kurtkę i otworzył drzwi.

Co on miał zamiar zrobić?

Dunia też poderwała się z krzesła. Chyba najlepiej będzie pobiec za tatą.

Ale gdzie się podziały jej buty?

Jeden znalazła na półce nad wieszakami. Drugi na stoliku, gdzie jeszcze niedawno stał wazon.

– Poczekaj na mnie! – zawołała i pobiegła za tatą.

Rozdział 11

Dunia dogoniła tatę dopiero przy szkole.
Oj, ależ on był zły!

Tata szarpnął za drzwi do klasy i wparował do środka. Wszyscy znieruchomieli. Tak jak przy zabawie w figury.

Mika, która właśnie szła do pani, żeby poprosić o pomoc w rozwiązaniu zadania z matematyki, natychmiast stanęła w miejscu.

Wiki skuliła się nad podręcznikiem.

– Chyba wiecie, dlaczego tu jestem?! – zagrzmiał tata Duni, rozglądając się po klasie.

Nikt nie odpowiedział.

W końcu zgłosił się Poducha:

– Bo Dunia ma przeprosić!

– Nie! – ryknął tata Duni. – Dunia nie musi nikogo przepraszać! To ktoś inny w tym towarzystwie powinien przeprosić!

Tata wlepił oczy w Mikę, ale ona udawała, że nie wie, o co chodzi.

Rozejrzał się za Wiki.

Ale Wiki udawała, że liczy.

Wtedy wyciągnął Dunię przed siebie zza pleców, gdzie się schowała. Podwinął jej rękawy.

– Czy ktoś może mi powiedzieć, skąd to się wzięło?

Wszyscy wpatrywali się w ręce Duni.

– Patrzcie! – powiedział tata. – Patrzcie, jakie siniaki! Tu i tu, i tu, i tu…

Cała klasa zaczęła wstawać z ławek. Wszyscy chcieli zobaczyć siniaki Duni.

Wszyscy poza Miką, która szybko wróciła do swojej ławki.

I Wiki, która przewracała kartki w książce.

Pani przecisnęła się między dziećmi do Duni.

Pani najdłużej ze wszystkich przyglądała się jej siniakom.

– Aha! Teraz zaczynam rozumieć... – mruknęła pod nosem.

W jej głosie słychać było złość. Była teraz prawie tak zdenerwowana, jak tata Duni.

Pokręciła głową i podeszła do Miki i Wiki.

– Co to ma znaczyć, Mikaelo?

– My… my się tylko bawiłyśmy – wyjąkała Mika.

– Bawiłyście się! – parsknęła pani. – A Dunia zgodziła się na tę zabawę?

Na kilka sekund zrobiło się cicho.

– Nie, ale Wiki też szczypała… – pisnęła Mika.

Pani odwróciła się do Wiki.

– Czy to prawda, Wiktorio?

– Nie wiedziałam, że od tego zrobią się siniaki – wymamrotała Wiki.

Pani wyprostowała się i popatrzyła na klasę.

– To bardzo przykre! – westchnęła. – Czy kogoś jeszcze spotkało coś podobnego?

Znów zrobiło się cicho.

– Mnie – wydusił w końcu Jonatan. – Wiki i Mika ciągle mnie popychają!

Zuzia zgłaszała się, wymachując ręką.

– Mnie też spotkało coś przykrego!

Zuzia przełknęła ślinę.

– Tak? – zapytała pani.

– Mój chomik umarł!

– Ale to chyba nie jest wina Miki i Wiki – zauważył Poducha.

Tak właśnie było w klasie tego dnia.

Może w innych klasach, wśród innych dzieci, też zdarzają się takie rzeczy, chociaż nie zawsze się o tym mówi.

Ale nagle stało się coś niespodziewanego.

Drzwi znów się otworzyły.

I stanęła w nich…

Rozdział 12

…Frida!

Stała w drzwiach
i uśmiechała się
od ucha do ucha!

Przez ławki
przeszedł szmer.

– A ona co tu
robi!? – wykrzyknął
Beni.

Ale Frida zdawała
się nie słyszeć.
Szybko obiegła
wzrokiem salę.

Kiedy zauważyła, że krzesło Duni jest puste, jej uśmiech zbladł.

– Gdzie jest Dunia? – zapytała.

Dunia z wrażenia nie mogła się ruszyć z miejsca. Zdawało jej się, że śni.

W końcu się ocknęła i popędziła do Fridy.

Frida aż krzyknęła z radości.

– Jesteś!!!

A potem do środka zajrzał Uffe, przyszywany tata Fridy.

– Przepraszam, że przeszkadzamy – westchnął. – Spieszę się na ważne spotkanie...

Pani popatrzyła na niego pytająco.

– Już wyjaśniam... – powiedział. – Rano, kiedy wyjeżdżałem z Uppsali, myślałem, że jestem w aucie sam. Ale jak dotarłem do Sollentuny, usłyszałem, że ktoś kichnął!

– Ach tak? – zaciekawiła się pani.

– To Frida leżała pod kocem na tylnym siedzeniu! – tłumaczył Uffe. – Nie zauważyłem, jak wślizgnęła się do auta! Powiedziała, że musi się spotkać z Dunią...

– Nie ma sprawy – powiedział tata Duni. – Zostaw tu Fridę. Zajmiemy się nią.

Po chwili zadzwonił dzwonek. Przyszła pora na podwieczorek.

Wszyscy się spieszyli, bo po podwieczorek robią się zawsze strasznie długie kolejki. Zwłaszcza kiedy są słodkie bułeczki albo precle. Albo sałatka owocowa, albo hot dogi, albo gofry.

Najczęściej dostają tylko sucharki albo jabłka. Ale one też są smaczne.

Wiki i Mika starały się wymknąć z klasy razem z innymi, ale pani je zatrzymała.

– Wy dwie zostajecie ze mną! – powiedziała.

Rozdział 13

Gdy tylko Dunia i Frida dotarły do stołówki i wzięły po jabłku, popędziły do stolika w rogu, na końcu sali. Dokładnie tak, jak kiedyś.

Ale nie dało się tam posiedzieć w spokoju.

Wszyscy chcieli pogadać z Fridą i opowiedzieć jej, co się ostatnio zdarzyło.

Mattis chciał opowiedzieć o tym, jak spadł mu na głowę wielki kawał lodu. Chociaż Irma twierdziła, że to był tylko mały sopel.

Zuzia chciała opowiedzieć o swoim zdechłym chomiku, który wabił się Kudłacz.

Jonatan chciał się pochwalić aparatem na zęby.

Potem przybiegli Poducha i Beni i chcieli, żeby wszyscy szybko wyszli na dwór pobawić się w chowanego.

Więc popędzili na boisko. Zabawa w chowanego jest bardzo fajna, kiedy jest tyle osób!

Wszyscy się bawili, oprócz Wiki i Miki, które musiały zostać w klasie całą przerwę i rozmawiać z panią i tatą Duni.

Szkoła Duni ma porządne boisko.

Są tam dwie drabinki, sześć huśtawek, dwa pola do gry w klasy i całkiem duże boisko do piłki nożnej.

Ale najlepsze jest drzewo, przy którym bawią się w chowanego. Teraz stał przy nim Poducha i liczył do stu, a inni rozbiegli się, szukając kryjówek.

Dunia i Frida popędziły do szopy, ale była już zajęta.

Czaili się tam Mattis i Beni.

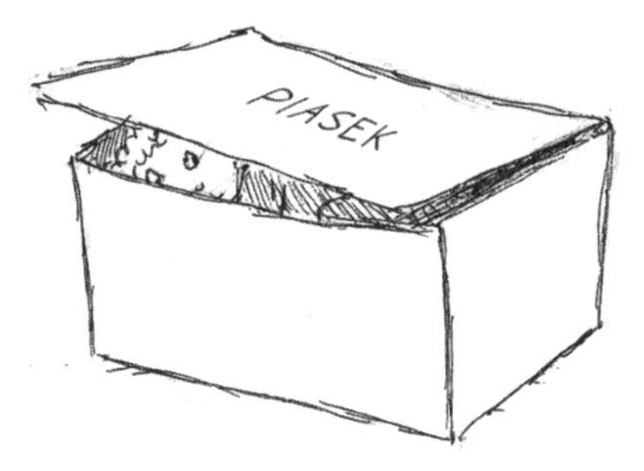

Dunia i Frida pobiegły dalej, do niebieskiej skrzyni na piasek.

Ale siedział już w niej Jonatan.

Pobiegły do schodów, ale pod nimi tłoczyli się Zuzia, Wiktor, Irma, Gabriel i Jens.

– Schowamy się za drzewem! – wymyśliła w końcu Frida. – Tam Poducha na pewno nie będzie nas szukał!

Ale ledwo Poducha skończył liczyć, zadzwonił dzwonek.
Jak zwykle!

Rozdział 14

Przy drzwiach do klasy czekały Wiki i Mika. Teraz to one miały oczy czerwone jak u białych królików. Naprawdę było widać, że płakały. To dlatego, że pani chciała porozmawiać z ich rodzicami. Choć klasa o tym nie wiedziała.

Najpierw jednak miały przeprosić Dunię. Ale nie chciały tego zrobić.

– Jak długo mamy czekać? – zapytała pani.

Wiki i Mika patrzyły prosto przed siebie i nie odpowiadały.

Nic się nie działo.

Wszyscy byli ciekawi, jak to przepraszanie będzie wyglądać. Ale po chwili niektórych rozbolały już nogi od tego stania i czekania.

– Noooo – ponaglała pani.

Ale to nic nie dało. Wiki i Mika stały sztywno i milczały jak posągi.

W końcu Dunia powiedziała, że nie muszą przepraszać.

– I tak wam wybaczam – powiedziała.

Wszyscy odetchnęli z ulgą. Przedstawienie się skończyło. Dzieci weszły do klasy.

A tata Duni w końcu mógł pójść do lasu pobiegać.

Frida usiadła na swoim dawnym miejscu.

Co za szczęście, że jeszcze było wolne!

– Duniu – zapytała – dlaczego Wiki i Mika miały cię przeprosić?

– Bo musiałam je popryskać keczupem – wyjaśniła Dunia.

– Aha, rozumiem – powiedziała Frida.

Choć wcale nie rozumiała.

Ale czy to miało znaczenie? Najważniejsze, że jej stare miejsce wciąż na nią czekało.

– Na tej lekcji będziemy malować ryby – oznajmiła pani, kiedy w klasie ucichło. Mieli akurat tydzień ryb i owoców morza.

Dunia i Frida namalowały po szczupaku z zębami ostrymi jak igły.

Potem pani poprosiła, żeby wyciągnęli swoje zeszyty do opowiadań.

Tak nazywa się zeszyt Duni.

Ale minęła wieczność, od kiedy coś w nim napisała. Tego dnia też zdawało się, że niczego nie napisze.

Dunia siedziała tylko, wymachiwała ołówkiem i uśmiechała się do Fridy, która do pisania dostała luźną kartkę.

– Zacznijcie pisać – powiedziała pani.

– Ale nie wiem o czym – poskarżyła się Dunia.

– Opowiedz o tym, kiedy byłaś szczęśliwa – zaproponowała pani.

– Ciągle jestem szczęśliwa – wyjaśniła Dunia.

Tak to już jest. Przecież Dunia nie liczy tych razy, kiedy jest nieszczęśliwa.

– To może opowiedz o tym, kiedy byłaś w y j ą t k o w o szczęśliwa! – powiedziała pani.

Dunia pochyliła się nad zeszytem i zaczęła tak:

Zawsze jestem wyjątkowo szczęśliwa, kiedy jestem z Fridą.

Frida pochyliła się i przeczytała, co Dunia napisała. A potem napisała prawie tak samo:

Zawsze jestem wyjątkowo szczęśliwa, kiedy jestem z Dunią.

Nie papugowała po Duni. Frida nigdy nie papuguje.

Ale często robi to samo, co Dunia.

Wszystko było prawie tak jak wtedy, kiedy siedziały obok siebie codziennie.

Chociaż wtedy Dunia nie rozmyślała za wiele o tym, że jest szczęśliwa. Nie w każdej chwili. Nie miała na to czasu.

Teraz też nie miała. Zdążyła tylko pomyśleć: Chyba nikt na świecie nie lubi się tak bardzo jak Frida i ja!

Potem zastanawiała się nad tym, co będą robić po szkole.

Dawno nie była taka szczęśliwa!

Znowu pochyliła się nad zeszytem i napisała:

Moje serce skacze z radości.

Moje serce
skacze
z radości.

Książki o Duni:

Moje szczęśliwe życie

Moje serce skacze z radości

Szukaj na:

www.zakamarki.pl

Wydawnictwo Zakamarki
ul. Dolna Wilda 32/3
61-552 Poznań

Tytuł oryginału: *Mitt hjärta hoppar och skrattar*

First published in 2012 by Bonnier Carlsen Bokförlag, Stockholm, Sweden
Published in the Polish language by arrangement with
Bonnier Group Agency, Stockholm, Sweden

Redakcja: Agnieszka Stróżyk, Katarzyna Skalska
Korekta: Paulina Biczkowska

Wydanie pierwsze, Poznań 2013
Druk: Edica
ISBN 978-83-7776-036-9